KB075615

상징으로 만나는 민화 이야기 2

상징으로 만나는 민화 이야기 2

발 행 | 2024년 8월 15일
저 자 | 소리미소
펴낸이 | 한건희
펴낸곳 | 주식회사 부크크
출판사등록 | 2014.07.15.(제2014-16호)
주 소 | 서울특별시 금천구 가산디지털1로 119 SK트윈타워 A동 305호
전 화 | 1670-8316
이메일 | info@bookk.co.kr

ISBN | 979-11-410-9978-7

www.bookk.co.kr

상징으로 만나는 민화 이야기2

소리미소

차례

자세히 보아야 예쁘다

오래 보아야 사랑스럽다

너도 그렇다

나태주 [풀꽃 1]

민화를 보고 있노라면 이 시가 생각납니다.

찬찬히 들여다보면 이야기를 품고 있는 아이들이 하나둘 제게 말을 걸어오는 것 같아 웃음이 나오지요.

특히 이번 [상징으로 만나는 민화 이야기 2]에서 만나게 되는 '책거리'와 '문방도'에는 다양한 물건과 문양을 찾을 수 있어, 마치 숨바꼭질을 하듯 재미있게 볼 수 있답니다.

저는 책거리와 문방도를 참 좋아해서 수시로 들여다보고 자료를 찾곤 하는데 '책가도'와 '책거리'. '문방도'가 구분 없이 함께 쓰이는 것이 많아 아쉽던 차에 국립박물관에서 발간한 [조선시대 채색장식화 책가도. 문방도]에 깔끔하게 정리를 해 두어 너무 반가웠답니다.

한마디로 정리하자면, 책상 속에 선비들이 좋아하는 물건. 내가 원하는 소망을 담은 상징이 들어간 것은 '책가도' 혹은 '책거리'라 부르고 바닥에 물건을 쌓아 올린 것은 '문방도'라고 부르시면 됩니다.

'책거리'는 '책가도'의 우리 말 이예요. 그러니 '책거리'와 '책가도'는 같은 말이지요.

어떠세요? 이제 어떤 그림을 보더라도 책장 속에 있으면 책가도, 책거리. 바닥에 있으면 문방도. 쉽게 구분하실 수 있으시겠지요?

그럼, 저와 함께 물건, 문양, 문자, 숫자를 만나러 출발해 볼까요?

물건

민화 속에는 여러 가지 상징이 담긴 물건이 있습니다.

'꽃이 담긴 꽃병'처럼 우리가 쉽게 볼 수 있는 것들과, 역사 시간이나 박물관에서 만났던 옛날 안경, 재미있는 이야기 속에 담겨 있는 '호로병', 조금은 생소한 모양의 '여의'도 있지요.

옛사람들은 이 물건들에 어떤 의미를 담아 그림으로 만들어 곁에 두었을까요?

함께 알아봅시다.

가지

아들을 많이 얻기를 기원

농업사회에서 아들은 가족을 부양하여 노동력을 늘리는 부 富(재물이 많고 풍성함)의 상징

따라서 넉넉한 재물로 풍성히 살기를 기원함

책가도 8폭 액자 가운데 일부 (국립민속박물관)

거문고 (가야금)

혼례의 축복

거문고 금 琴 과 금하다 금 禁 과 발음이 같아

군자가 바른 것을 지켜서 스스로 금한다는 뜻을 가짐

욕심과 성냄. 어리석음을 금하다

그림, 글씨, 바둑과 함께 선비를 상징

책가도 병풍 가운데 일부 (국립중앙박물관)

거울

빛이 악마를 물리쳐 흩어지게 함.

액막이

책가도 6폭 가운데 하나 (국립중앙박물관)

검

지혜, 날카로운 통찰력

악에 대한 승리

여동빈 呂洞賓(중국 도교의 8신선 중 하나)을 상징

책가도 8폭 병풍 일부분 (국립민속박물관)

공작새 깃털

덕을 쌓음

좋은 일이 생길 것을 기다림 (길상)

최고 높은 관직을 상징하는 동물 : 공작

입신출세에 대한 염원

문방도 가리개 가운데 일부 (국립고궁박물관)

괴석

불변. 변하지 않음

장수. 오래 삶

모란과 함께 그려진 괴석 모란도에서 괴석은 남자, 모란은 여자로 해석되기도 함

이형록필 책가도 가운데 일부 (국립중앙박물관)

국화

사군자 중 하나

중국의 시인 도연명이 [귀거래사]라는 시를 읊은 뒤 국화를 벗삼아 지냈다 하여 아무런 속박을 받지 않고 마음껏 즐긴다는 '은일군자'를 상징.

10월. 가을을 의미

공직에서의 은퇴

책가도 10폭 병풍 가운데 일부 (국립민속박물관)

귤

대길이라는 발음과 비슷 : 대귤

노란 귤은 금칠하여 왕에게 진상하던 귀한 과일

뿌리가 깊어 잘 옮겨다니지 않고 귤 꼭지가 단단해 잘 떨어지지 않으며, 늘 푸른 잎을 지님 : 지조와 절개

서리와 눈, 비를 이겨내고 신선한 생명력을 유지하는 붉은 귤의 속살 : 변하지 않는 마음 (단심)

문자도 (효)에 등장

책가도 8폭 가운데 일부 (국립중앙박물관)

꽃병

복福, 덕德(어진 것), 지知(깨닫는 것)이 원만하여 새거나 부족하지 않음

평안함 (중국어 보병은 평안함이라는 말과 발음이 같음)

꽃이 꽂혀 있는 꽃병 : 영원한 조화, 평화로움의 지속

책가도 6폭 병풍 가운데 일부 (국립민속박물관)

나무와 풀

농촌의 부 富(넉넉함)와 경사, 상서(좋은 조짐)

길러 자라게 함

의로움, 너그러움

생명

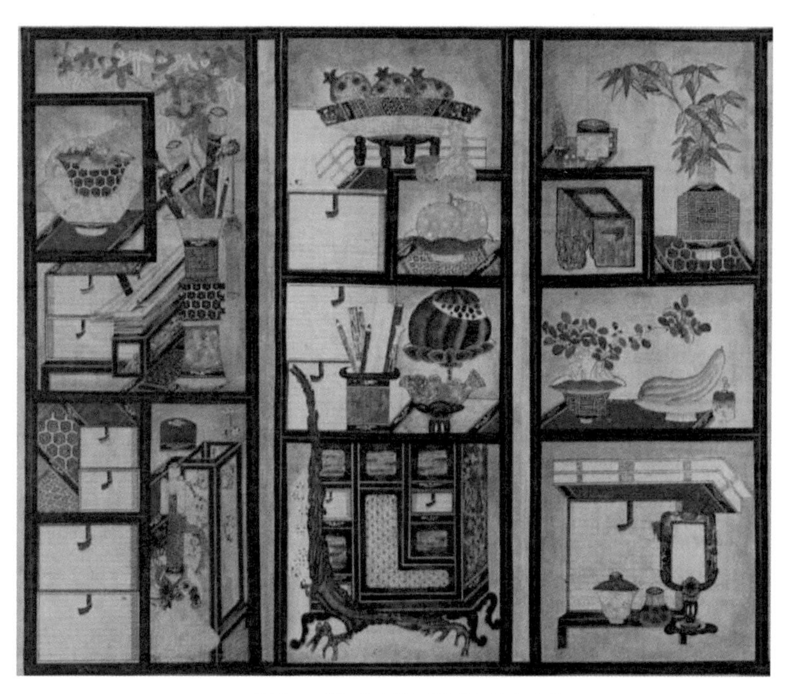

책가도 가운데 일부 (국립중앙박물관)

난초

사군자 중 하나

선비의 고결한 품격. 절개와 지조. 충성

난초는 난손이라 부름 : 자손 손

깊은 산 속에서 홀로 자라는 모습 : 은거. 고독

책가도 8폭 가운데 일부 (국립중앙박물관)

동백

한 번에 많은 꽃을 피움 : 다자다남

책가도 병풍 가운데 일부 (국립중앙박물관)

두루마리

달필(능숙하게 잘 쓰는 글씨, 또는 그런 사람).

진실

책가도 가운데 일부 (국립전주박물관)

매화

사군자 중 하나

잎이 없는 가지에서 추운 겨울을 이겨내고 피어나는 꽃

어려움을 극복하는 군자. 선비의 깨끗한 기품

한 해의 첫째 달 1월

책가도 10폭 병풍 가운데 일부 (국립민속박물관)

모란

화려하고 귀족적인 꽃 : 꽃중의 왕

귀한 사람이 되어 이름을 날리고 부자가 됨

부부의 사랑

3월, 봄을 상징

책가도 8폭 병풍 가운데 일부 (국립민속박물관)

목련

봄에 가장 먼저 피는 꽃 중 하나 : 새로운 시작

희망. 기쁨

고결한 품격과 고상함

책거리 가운데 일부 (국립중앙박물관)

바둑

그림, 글씨, 거문고와 함께 선비를 상징 (사예)

지혜 상징

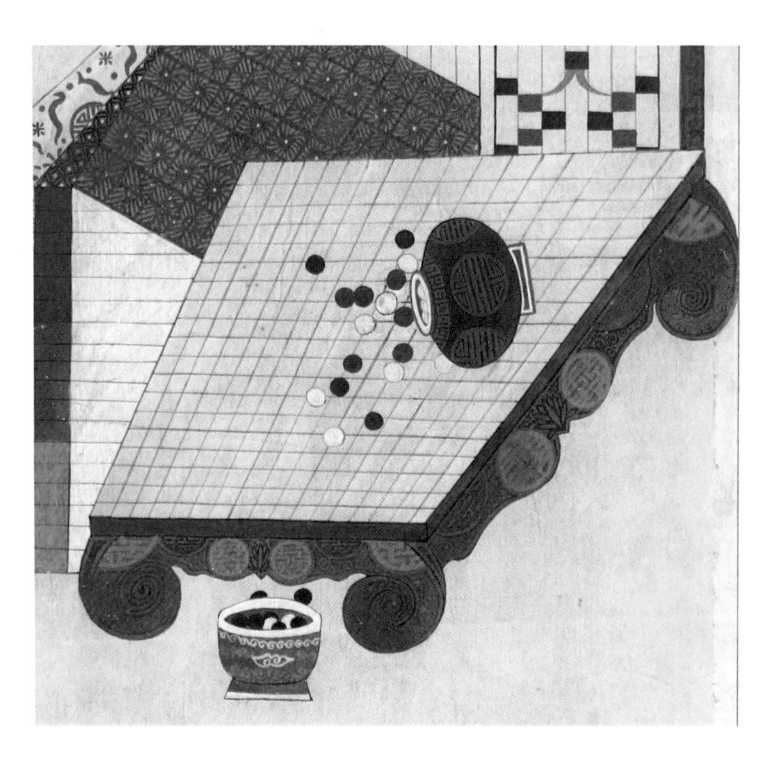

책가도 8폭 병풍 가운데 일부 (국립민속박물관)

바퀴

둥글게 원을 그리며 반복됨

영원을 상징

책가도 8폭 가운데 하나 (국립중앙박물관)

밤. 대추

단단한 껍질과 영양이 좋은 속살 : 장수. 건강

풍성한 열매 : 다산

행운과 복

대추 : 조립자 (아들을 빨리 낳음)

필자미상 책거리 민화 병풍 가운데 일부 (국립중앙박물관)

벼루

문방도의 하나

학문

책가도 병풍 가운데 일부 (국립중앙박물관)

복숭아

신선들이 먹는 과일 : 장수, 건강, 신선

복숭아가 여러 개 있을 때 : 다수 (많을 多, 목숨 壽)

붉음색과 달콤한 맛 : 행복. 부귀

책가도 10폭 병풍 가운데 일부 (국립민속박물관)

부채

동정심

번영과 성장

책거리 8곡병 가운데 하나 (국립중앙박물관)

불수감

돈을 쥐고 있는 부처님 손의 모양을 닮아있어 붙은 이름

부 富 : 재물이 많고 넉넉함. 풍성함

하늘의 보살핌

책가도 병풍 가운데 일부 (국립중앙박물관)

붓

문방도 가운데 하나

학문

책거리 가운데 일부 (국립중앙박물관)

사슴

장수. 우애. 복록

천년을 살면 청록. 천오백년을 살면 백록, 이천년을 살면 흘곡 : 장수. 영생

지상과 천상을 연결하는 영적인 동물

책가도 8폭 액자 가운데 일부 (국립민속박물관)

산호

장수

관운

책거리 그림 가운데 일부 (국립중앙박물관)

생황

봉황과 같은 의미 : 태평성대

군중의 집합체

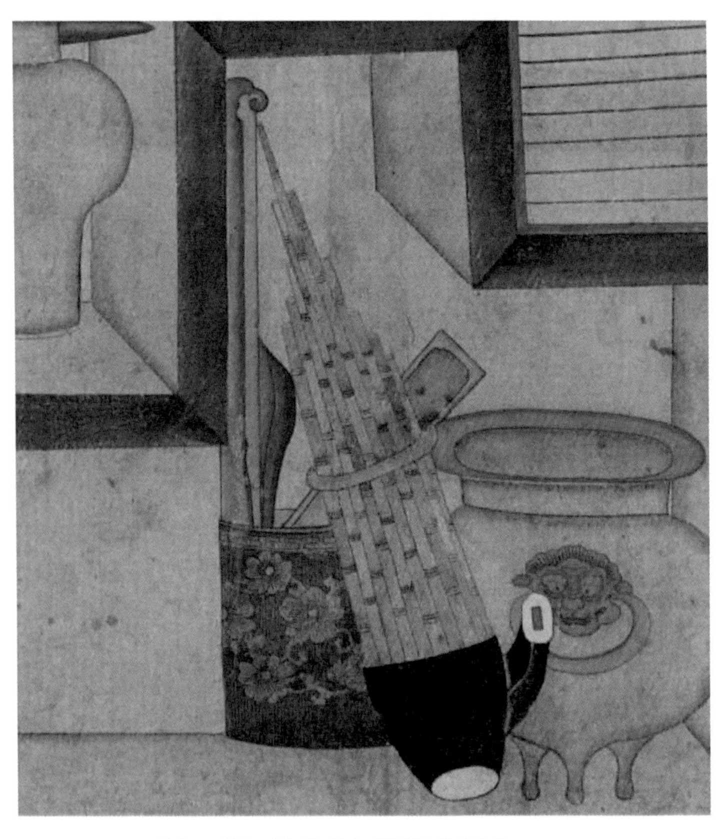

책가도 병풍 가운데 일부 (국립중앙박물관)

서화

교양. 선비의 네 가지 표상 가운데 하나

(사예 : 그림. 글씨. 거분고. 바둑)

대부분 산수화

: 세상에 가릴 것 없는 큰 도덕적 용기(호연지기)를 희망

책가도 가운데 일부 (국립전주박물관)

석류

씨앗이 많은 과일 : 아이를 많이 낳다.

임신과 출산

책가도 8폭 병풍 가운데 일부 (국립민속박물관)

수국

수국의 다른 이름

: 자양화(紫陽花) 나쁜 운을 막아 행운이 온다 -

: 수구화((繡毬花) 수를 놓은 듯 아름답다 - 귀한집의 여자아이

책가도 병풍 가운데 일부 (국립중앙박물관)

수박

수복 (壽福) (오래사는 것과 복을 누리는 일) 과 음이 같음 : 장수와 복을 의미

씨앗이 많이 있음 : 아들을 많이 낳음 : 부자 기원

다산. 다복. 결실

책가도 병풍 가운데 일부 (국립중앙박물관)

수반. 화반

물을 담아두는 입이 넓은 그릇

아름다움과 조화

문방도 병풍 가운데 일부 (국립중앙박물관)

수선화

신선 : 신선과 발음이 비슷

- 건강, 장수

문방도 병풍 가운데 일부 (국립중앙박물관)

안경

눈의 거울

거울처럼 세상을 맑게 보이게 하는 것

권위

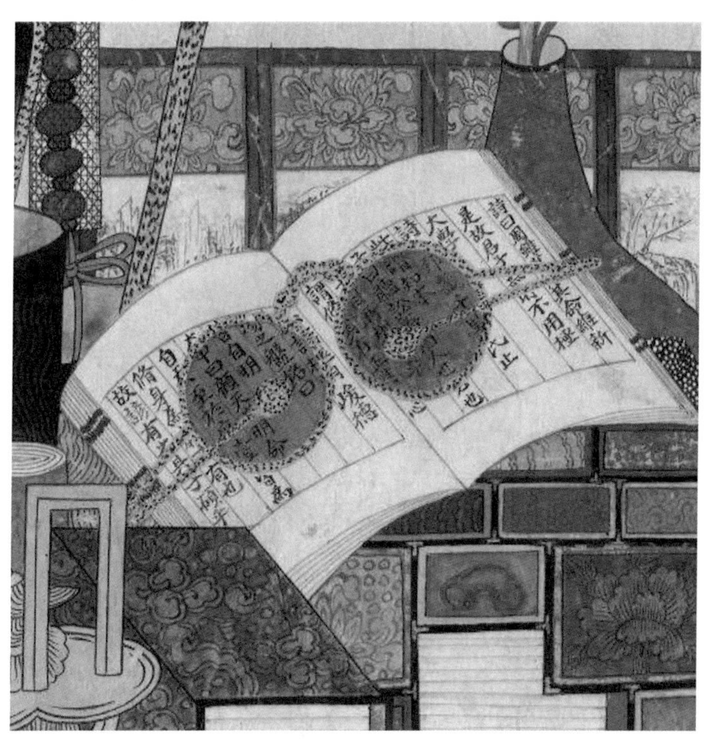

책가도 8곡병 가운데 일부 (국립중앙박물관)

여의

마력의 상징

번영

부처의 상징

책가도 6곡병 가운데 일부 (국립중앙박물관)

연꽃

꽃과 열매가 함께 자라남 : 아들을 낳기 기원

진흙에서 깨끗하고 아름다운 꽃을 피워냄 : 군자

연꽃의 연자가 이어질 연(連)과 발음이 같아

'이어지다'로 해석하기도 함

문방도 병풍 가운데 일부 (국립고궁박물관)

영지 (불로초)

불로장생

: 늙지 않고 오래 사는 것

십장생 가운데 하나

(해. 산. 물. 돌. 구름. 소나무. 거북. 학. 사슴. 영지)

문방도 8폭 병풍 가운데 일부 (국립민속박물관)

오이

아이를 많이 낳음

책거리 가운데 일부 (국립중앙박물관)

옥벽

벽 : 중국에서 중요한 예절 가운데 하나

품덕과 예를 대표

귀한 신분. 권력의 상징

귀신을 물리침 : 벽사

책거리 가운데 일부 (국립중앙박물관)

원추리

아들을 많이 낳는 부인의 꽃 (의남초)

필자미상 책거리 민화병풍 가운데 일부 (국립중앙박물관)

인장

권력. 권위

문방도 병풍 가운데 일부 (국립고궁박물관)

잉어 장식

아들을 얻고자 함

뛰어오르는 모습 : 급제. 출세

늙은 잉어들이 용문의 센 물살을 거슬러 폭포를 뛰어오르면 용이 된다 : 어변성룡

책가도 8폭 액자 가운데 일부 (국립민속박물관)

장미

늙지 않음. 아름다움을 오래 간직함.

영원한 젊음.

월계화 : 매달 연이어 꽃이 핌.

책가도 6곡병 가운데 일부 (국립중앙박물관)

주미. 불자

큰 사슴의 꼬리를 매달아 만든 총채 모양의 도구

부처 살생금지 계율 상징 : 살아있는 것을 함부로 죽이지 말라)

마력. 통솔력

책거리 가운데 일부 (국립중앙박물관)

참외

씨앗이 많은 과일을 잘라 단면을 보임으로써

아들을 많이 얻기를 기원

농업사회에서 아들은 가족을 부양하여 노동력을 늘리는 부 富(재물이 많고 풍성함)의 상징

따라서 넉넉한 재물로 풍성히 살기를 기원함

책가도 6곡병 가운데 일부 (국립중앙박물관)

책

공부에 마음을 다하기를 소망함 (학문의 길 추구)

부 富(넉넉함)

책거리도 (국립민속박물관)

철쭉

봄

책거리도 (국립민속박물관)

특경

나무틀에 얇게 깎은 돌을 하나 매달아 채로 치는 악기

벼슬아치임을 나타냄

판별력

경사스러운 일이 일어남을 상징

책가도 병풍 가운데 일부 (국립중앙박물관)

파초 잎

독학 篤學 (학문에 충실함)

신선이 들고 있는 부채를 상징하기도 함

불에 탄 뒤에도 다시 싹을 틔우는 모습 : 기사회생

끊임없이 새 잎을 틔우는 모습

: 자강불식 : 스스로 단련하여 어떤 위기, 시련이 닥쳐도

굴복하거나 흔들리지 않고 최선을 다하는 굳은 의지

계속해서 덕을 쌓아 지혜를 펼쳐낸다.

책거리 가운데 일부 (국립중앙박물관)

포도

한 송이에 많은 열매가 맺히는 모습 : 다산. 사업의 번창. 가문의 융성

탐스러운 포도알 : 자손 번창

반드시 넝쿨과 함께 그림.

넝쿨 : 부귀장수

자손이 덩굴처럼 이어져 영원히 끊어지지 않음

책가도 병풍 가운데 일부 (국립중앙박물관)

필통

학문과 지식을 갈고 닦음을 의미

서각 (소 뿔) 으로 만든 필통 : 행복

책가도 가운데 일부(국립전주박물관)

호로(조롱박)

친구. 형제의 우애

씨가 많음 : 자손 번창

도교 신선이 선약을 넣어다니는 병

신비. 점술. 수명. 의술, 벽사의 부적

도교 8 선인인 이철괴가 들고 다니는 물건

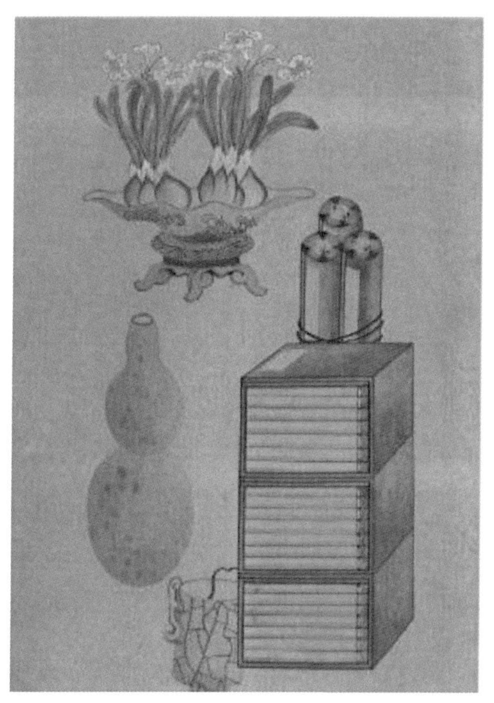

책가도 병풍 가운데 일부 (국립중앙박물관)

문양

민화는 특징을 두드러지게 표현합니다. 사실보다는 어떤 의미나 상징을 담아 그리는 그림이기 때문이지요. 민화를 보거나 그림을 그리다 보면 '이걸 이렇게 표현했구나!' 하고 감탄이 나옵니다.

이렇게 도식화 된 문양은 단독으로 쓰이기 보다는 다른 물건을 장식하여 뜻을 더하는 용도로 많이 사용하였습니다. 책거리 그림 속 책갑을 감싸고 있는 인동초 문양, 화병을 꾸미는 연환문처럼 말이지요.

그럼 숨어있는 문양들을 찾아봅시다.

구름

떠서 움직이며 날씨를 바꾸는 형태를 지님

: 강함과 약함을 모두 갖춤

용과 함께 있을 때

: 용이 구름을 만들지만 구름 없는 용은 신비롭지 않다.

어진 왕(용)과 지혜로운 신하(구름)로도 해석

책가도 8폭 가운데 일부(국립중앙박물관)

당초 문양 (인당초, 인당무늬)

당나라 풍의 덩굴 무늬 (우리나라 : 인당초)

고대 이집트에서 발생하여 그리스에서 완성

삼국시대에 우리나라에 전해짐

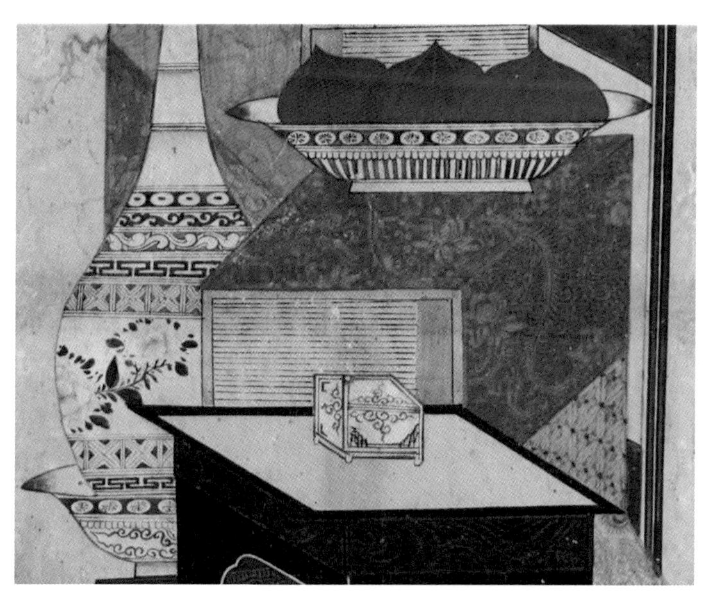

책가도 8폭 병풍 가운데 (국립민속박물관)

박쥐문

박쥐의 한자 복자가 복 복 福 자와 음이 같아 복을 의미.

장수. 번영. 행복

다섯 마리의 박쥐가 함께 있을 때 : 오복

(건강. 부. 덕. 장수. 편안한 죽음)

책거리 그림 가운데 일부 (국립중앙박물관)

방승

길상

마음을 함께 하여 서로 떨어지지 않는다

편지 봉투에 사용.

(동심방승) 좋은 일을 같은 마음으로 기다림

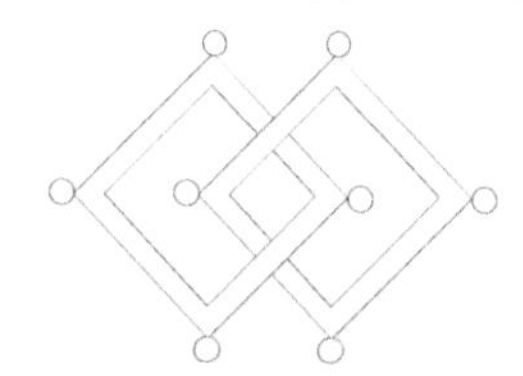

이형록필 책가도 가운데 일부 (국립중앙박물관)

부귀 기호 문양

凸자형 도형을 의미

음양에서 양을 의미

두 개가 좌우로 연결 : 넉넉하고 귀함이 두 배

여러개가 함께 있는 것 : 넉넉하고 귀함이 끊이지 않는다. 자손 번창

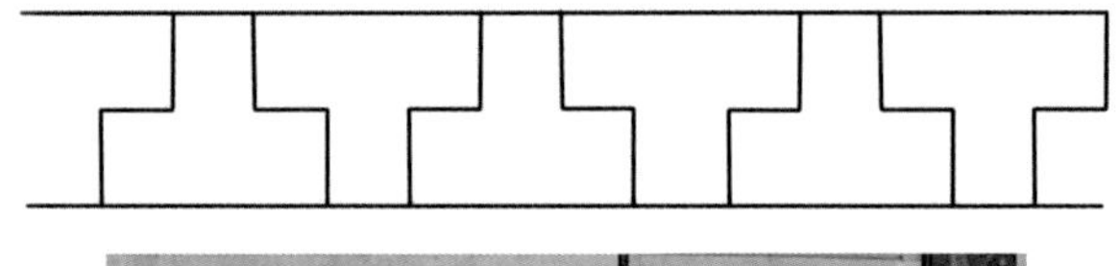

책거리 병풍 가운데 일부 (국립민속박물관)

연환

동그라미가 서로 연결되어 있는 모양

완벽

오래도록 끊어지지 않음

책거리 그림 가운데 일부분 (국립중앙박물관)

수파 水波 (물의 움직임)

도식화 된 물결 문양 (낭수, 입수, 와수 세가지 형식)

낭수 浪水 : 수면 위로 뛰어오르는 물방울

입수 立:水 : 무지개 모양

와수 臥水 : 물고기 비늘 모양

끊임없이 이어지는 모양으로 번영과 발전, 장수 의미

산수복해 山壽福海(산은 오래살고 바다는 복이 있다)

가운데에서 복해 상징

중국어 발음으로 나라의 조정을 상징하기도 함

일월오봉도 벽장문 (국립고궁박물관)

만 卍

많다

완자문 이라고도 불림 (중국 발음 완)

부처님 앞가슴에 나타난 좋은 조짐의 나타날 징조

여러 상서로운 기운이 한데 모인 것

쉬지 않고 돌아가는 수차의 모양

농사의 풍족함

책가도 8폭 병풍 가운데 일부 (국립민속박물관)

회 回

반복하다. 돌다

끊이지 않고 반복함으로 영원한 부귀를 기원

책가도 8폭 병풍 가운데 일부 (국립민속박물관)

문자

글자에 그림이 더해진 '문자도'

문자도에는 글자 하나에 여러 가지 그림이 그려져 있기도 하고, 한가지 글자를 반복해서 적음으로써 큰 글자를 만들거나, 그 의미를 더욱 크게 만드는 그림입니다. 글자와 함께 있는 그림은 저마다 재미있는 옛날이야기를 담고 있기도 하지요.

글자가 갖고 있는 뜻에 이야기를 담고 있는 그림까지!

알고 보면 더욱 재미있는 문자도를 만나봅시다!

문자도 8폭 병풍 (국립민속박물관)

효

잉어 : 중국 진나라 사람 왕상

계모 주씨가 엄동 설한에 살아있는 물고기를 원하여 얼음을 깨고 쌍 잉어를 잡아드림

거문고 : 중국 고대 오제 중 한 사람 대순

이복동생인 상이 계모와 짜고 아버리를 꾀어 순을 괴롭히다 죽이려 했으나 위기를 모면하고 아무일도 없었던 것처럼 태연히 거문고를 탔다고 하며, 이후에도 정성껏 부모님께 효도함

죽순 : 중국 삼국시대 오나라 사람 맹중

어머니가 겨울에 죽순을 먹고 싶다하여 대나무 밭에 갔으나 겨울이라 죽순이 없어 슬피 울고 있는데 떨어진 눈물자리에 죽순이 돋아나 그것을 잘라 어머니께 가져가 봉양함

부채 : 후한 사람 황향

홀아버지를 모시며 무더운 여름철, 아버지를 위해 침상에서 부채를 부치고 추운 겨울에는 자신의 체온으로 이부자리를 따뜻하게 함

귤 : 오나라 사람 육적

여섯 살 때 원술이라는 사람이 귤을 주자 먹지 않고 품에 넣어 어머니께 가져다 드림

문자도 8폭 병풍 (국립민속박물관)

제

척령 : 할미새

한 어미의 품에서 깨어난 무리 중 하나가 어려움에 처하면 둥지 속 모든 새끼가 꼬리를 흔들며 어찌할 줄을 몰라 하는데 그 모양이 형제의 어려움을 돕는 뜻이 있다고 함.

상체 : 산 앵두나무

줄기가 길어 아래로 늘어뜨려지며 꽃받침이 서로 함께 모여 환하고 밝게 피므로 우애의 상징이 됨

문자도 8폭 병풍 (국립민속박물관)

충

용과 잉어

어려운 관문을 통과하여 중요한 일을 맡다

새우, 대합

한자의 음이 하합이라 화합 和合(화목하게 어울림)으로 해석 : 군신간의 화합

새우. 대합 모두 단단한 껍데기에 싸여 내부를 지킴.

껍데기 갑 甲자는 첫째라는 의미의 甲과도 같다

문자도 8폭 병풍 (국립민속박물관)

신

인언위신 : 사람 사이의 말을 서로 믿고 지키는 것

새 : 청조 혹은 흰 기러기가 입에 편지를 물고 있는 그림

청조 : 서왕모 설화에 나오는 상상의 새

얼굴을 사람 몸은 새

문자도 8폭 병풍 (국립민속박물관)

예

책을 등에 진 거북

하나라 우왕 때 낙수에서 나온 거북의 등에 씌여 있던 글자로 천하를 다스리는 아홉가지 큰 법을 만들었다고 함.

그 가운데 여섯 번 째 : 예용삼덕 乂用三德

책 속에 예의가 담겨 있다.

문자도 8폭 병풍 (국립민속박물관)

의

복숭아화원에서의 도원결의

(의로움을 위한 결단)

간단히 복숭아 나무를 그리기도 한다.

義 자의 1.2 획 마주보는 새 두 마리 : 상호 화합

문자도 8폭 병풍 (국립민속박물관)

염

청렴. 검소. 곧고 바름

세상에 나아갈 때와 미련없이 물러나 은둔할 때를 스스로 알아 처신하는 도리

받을 만한 것과 받지 않아야 하는 것을 엄히 가려 처신하는 도리

봉황 : 살아있는 벌레와 풀을 해치지 않는다

모여 살지 않고 어지럽게 날지 않으며 잡힐 것을 걱정하지 않고, 오동나무가 아니면 앉지 않는다는 성정

문자도 8폭 병풍 (국립민속박물관)

치

치격 : 자신의 행동에 대하여 스스로 부끄러움을 알고 바로잡는 도리

백이. 숙제 : 나라가 망하자 스스로 부끄러움을 느껴 수양산에 들어가 고사리를 캐어 먹고 살았다고 함

토끼가 방아 찧는 모습이 보이는 달과 매화나무

수양산에서 절개를 지키기 위해 자연과 더불어 일생을 보냄을 상징적으로 표현

백수백복도 (국립민속박물관)

백수백복

백 百 : 많고 다양하다

백수백복 百壽百福 복이란 복은 다 가지고 있다는 뜻

장수와 복을 기원함

글자는 갑골문. 금문. 전서 등 고대의 글씨체

목숨 수 壽 자와 복 복 福 자를 번갈아 씀.

숫자

민화를 찬찬히 들여다보면 재미있는 점이 있습니다. 꽃과 새, 나비 등을 가만히 들여다보면 일정한 숫자를 기준으로 그려져 있는 경우가 많이 있습니다.

박물관을 방문하거나 역사를 접할 때에도 가만히 생각해 보세요. 우리 역사의 시작, 단군왕검과 함께 내려온 우사, 풍백, 운사는 세 분. 환웅이 들고 온 천부인은 3개.

숫자 3은 어떤 의미가 있을까요?

숫자와 관련된 이야기를 만나봅시다.

음수와 양수

동양 철학의 영향을 받아 수를 음수와 양수로 나누었음

홀수 : 양수

짝수 : 음수

음양 : 공존, 조화

음	양
달	해
밤	낮
그림자	빛
여자	남자
슬픔	기쁨
작은 것	큰 것
소멸	탄생
내향성	외향성

1 (순수한 양수)

완전한. 모든

시작

뛰어난

약리도 (국립중앙박물관)

용으로 변하려는 뛰어난 하나의 물고기

완전한. 임금을 상징하는 해 (하나) 를 바라보는 모습

2 (순수한 음수)

조화. 화합. 화목

화조도 8폭 가운데 (국립중앙박물관)

부부의 사랑방을 장식할 때 많이 쓰였던 화조도
각각 쌍을 이룬 새들이 그려져 있음.

3 (순 양수인 1과 순 음수 2가 만난 최고의 수)

완전한 존재

대표성. 우수함.

기준

약리도 (국립중앙박물관)

삼여 : 세가지 여가(기준)가 있다면 공부하기에 충분하다

삼여 : 농사를 쉬는 3가지 여유 (밤. 겨울. 비오는 날)

4

음양의 조화

완전한 수나 전체

: 관혼상제. 4계절. 동서남북 4방위. 문방사우 등

뛰어남, 훌륭함

: 사군자. 사대시가. 사대가 등

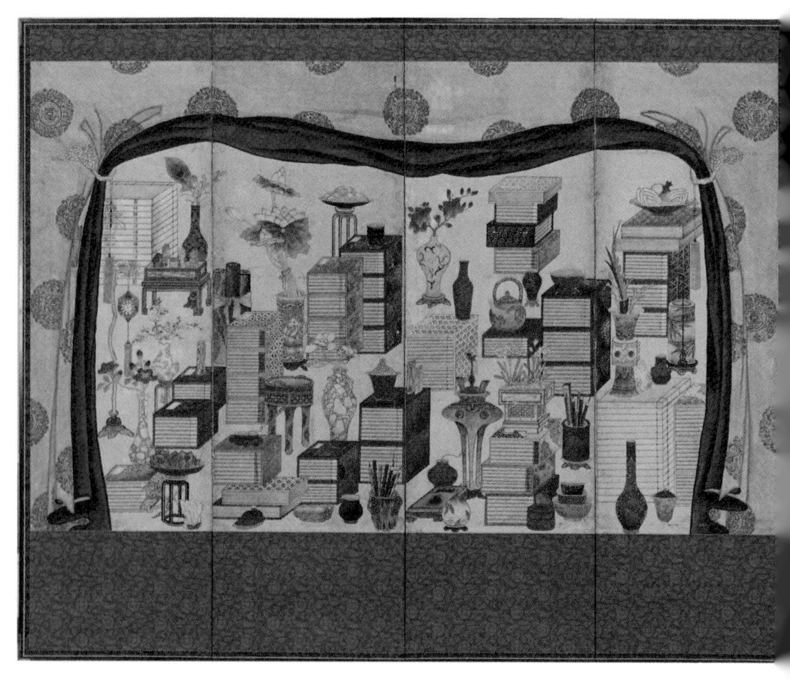

문방도 병풍 (국립고궁박물관)

5

동서남북 사방과 중앙을 합친 수

여성 상징의 짝수 2와 남성 상징의 홀수 3을 합친 수

: 완전함

오색. 오방. 오복. 오일장 등

일월오봉도삽병 (국립고궁박물관)

10

十 한자 열 십자는 모든 수를 갖춘 기본이자 동서를 나타내는 '一'와 남북을 잇는 ' l'가 합쳐진 것으로 사방과 중앙을 갖추는 상서로운 수

절대적으로 완전한 수

꽉 차서 넘치는 수

완전함

전체

일단락

십장생도10폭 병풍 (국립중앙박물관)

12

방위, 시간, 계절, 날짜

땅

1년

넓음

많음

십이지신도 (국립중앙박물관)

33

길수인 3 이 두 번 겹친 수

도리천 (도리:인도어로 33 + 하늘 天)

고려시대부터 시작된 문과시험 합격자 정원제도 : 33인

3.1운동 민족 대표 수

: 대표성, 기준

100

완전, 완전성

가득 차다

복

풍요

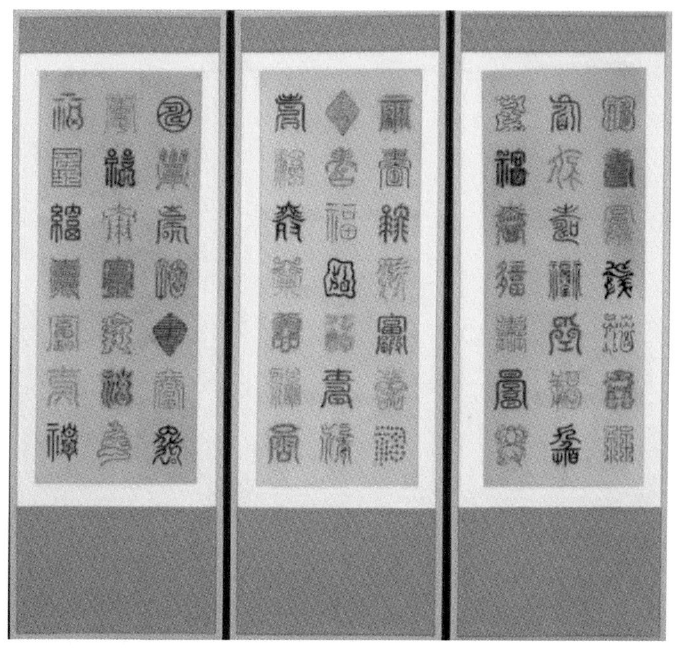

수복문자도 6폭 병풍 가운데 일부 (국립민속박물관)

[책가도, 문방도 속 물건들]

책가도와 문방도는 18세기 후반, 조선의 왕 정조의 주문으로 궁중관리인 화원이 제작한 것이 시초일 것으로 추정됩니다. 책가도는 우리나라의 독특한 그림 종류이지요.

정조가 책가도에 대한 강한 의지를 보이자 당시 귀인들이 앞다투어 책가도 병풍을 집에 설치했다고 전해집니다. 그런 유행은 점차 서민에게까지 확대되어, 물건의 수는 줄이고, 상징을 강조한 변형된 문방도들도 많이 만날 수 있지요.

책과 지식을 사랑하던 선비들의 마음과 새로운 세계를 알고 싶어하는 욕망이 담긴 책가도와 문방도 속에는 고대 중국의 청동제기, 청나라를 통해 들어 온 서양의 새로운 물건들도 자리를 차지하고 있지요.

익숙하지만 조금 낯선 책가도와 문방도 속 물건들을 함께 만나러 가볼까요?

고동기 : 고대 청동기 물건, 옛 물건
권력 상징

방정

책가도 병풍 가운데 일부 (국립중앙박물관)

향로, 부삽, 부젓가락

향로 : 세 발 달린 구리 향로 : 제례용

부삽 : 불을 옮길 때 사용하는 조그만 삽

부젓가락

: 화로에 꽂아두고 불덩이를 집거나 재를 해치는데 사용

책가도 가운데 일부 (국립전주박물관)

안경집

안경을 담는 안경 집

그림에서는 파초잎 모양으로 그려져 있음

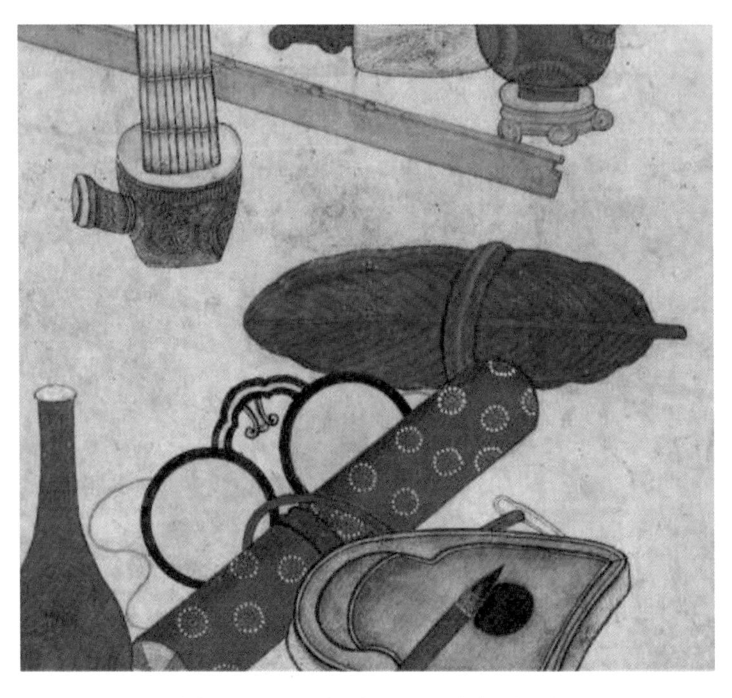

책가도 8폭 병풍 가운데 일부 (국립민속박물관)

연적

벼루에 먹을 갈 때 사용하는 것으로 물을 담아두는 물건

복숭아 모양이나 해치(해태). 토끼. 거북이 모양이 많다

문방도 병풍 가운데 일부 (국립고궁박물관)

옥패식

옥패를 걸어두는 것

옥패 : 옥으로 만든 패물

이형록필 책가도 가운데 일부 (국립중앙박물관)

옥화병

옥으로 만든 꽃 모양의 병

사치품

대부분 색이 없이 모양으로 그려두었으나 책거리그림 속에서는 채색이 되어있다.

책거리 그림 가운데 일부 (국립중앙박물관)

글쓴이의 한 마디.

상징으로 만나는 민화 이야기는 처음부터 3권의 미니북으로 기획되었습니다. 1권은 자연, 동물, 식물의 상징. 2권은 문양. 물건. 숫자. 3권은 인물. 행동. 이야기를 소재로 나누었지요.

아주 짧고 간단하게 핵심을 적어두어, 내가 그림을 그릴 때나 그림을 볼 때, 의미를 쉽게 찾을 수 있도록 가볍고 작게 만들기 위함이었습니다.

문양. 물건. 숫자를 다루는 2권의 경우는 익숙하지 않은 문양이나 물건들을 쉽게 보실 수 있도록 각각의 그림을 실어두었습니다.

또한 굳이 상징을 적지 않아도 될 물건들을 따로 모아 책가도, 문방도 속 물건들이라는 부록을 준비하였습니다.

이 책은 민화를 알고 싶어하는 분, 민화를 그리는 분, 조금 색다른 그림 이야기를 만나고 싶은 분들을 위해 제가 배워왔던 민화와 읽어왔던 책, 더 깊이 알고 싶어 따로 배운 동양 철학 이야기를 모아 만들었습니다.

제가 이 책을 지어 선물하고 싶은 아이들까지 생각하여 최대한 쉬운 우리말로 대체하였음을 알립니다.

이 땅을 살아 온 옛사람들의 생각이 의미가 되고 상징이 되어 돌아온 우리 그림 민화.

이 책을 펼쳐보시는 지금, 당신이 원하고 바라는 복이 함께 하길 바랍니다.

이름으로 찾기

참고 문헌

허균 1997 [(뜻으로 풀어본) 우리의 옛그림]

허균 2000 [전통 문양]

손진태 2000 [한국 민화에 대하여]

김덕경 2001 [한국 길상문]

김종대 2001 [(33가지 동물로 본)우리문화의 상징세계]

정병모 2011 [(무명화가들의 반란) 민화]

김희정 2012 [한국 단청의 이해]

조용진 2013 [동양화 읽는 법]

허균 2013 [옛그림을 보는 법]

이성미 2015 [한국 회화사 용어집](개정판)

윤철규 2017 [(이것만 알면)옛 그림이 재밌다]

정병모 2017 [민화는 민화다]

윤열수 2018 [서민의 삶과 꿈, 그림으로 만나다]

박영택 2019 [민화의 맛]

윤열수 2023 [민화의 즐거움]

책에 나오는 작품은 각 그림 아래 출처를 표시하였으며, 문양은 한국문화정보원 "문화포털"에서 서비스되는 전통 문양과 제가 직접 그린 것을 활용하였습니다.